ISBN collection : 2-84634-108-7
ISBN ouvrage : 2-84634-123-0

Imprimé et relié en France, par Pollina - N° L82878
Dépôt légal : février 2001

Design et documentation
Marshall Edition Development Limited

Disney

PRÉSENTE

Le Monde Merveilleux de la Connaissance

LES INSECTES ET LES ARAIGNÉES

Comment utiliser ton encyclopédie

☞ **A**vec Mickey, Minnie, Donald, Daisy, Dingo et Pluto, tu vas embarquer pour la grande aventure de la connaissance. En chemin, tu découvriras le secret des sciences, de la nature, du monde où nous vivons, du passé et bien plus encore. Attache bien ta ceinture, attention au départ !

Regarde à cet endroit pour trouver le résumé du sujet traité sur cette page.

Les légendes t'expliquent ce qui se passe dans les images.

Les oreilles de Mickey te font découvrir le sujet principal.

En observant les images, tu peux apprendre beaucoup, avant même d'avoir lu le texte.

Recherche les pages spéciales où Mickey examine de plus près les idées importantes.

Un monde en pleine trans

☞ **D**e grands changement dans le monde à la période à 65 millions d'années avan Le territoire se divise pour f nouveaux continents. De nou de dinosaures herbivores app et les dinosaures carnivores également très nombreux.

LES ANIMAUX DU CRÉTACÉ
De gigantesques dinosaures chasse parcouraient le territoire. Les oisea volaient au-dessus d'eux en compag de grands reptiles volants, tandis qu les ichthyosaures nageaient dans la

Le chorythosaurus, un dinosaure herbivor

LES DINOSAURES

À la découverte des dinosaures

Personne n'a jamais vu un dinosaure vivant, mais nous savons pourtant qu'ils ont existé grâce aux nombreux fossiles qui ont été retrouvés un peu partout dans le monde.

Les fossiles sont les restes des plantes et des animaux disparus depuis longtemps et préservés dans la pierre. Les fossiles de dinosaures les plus répandus sont les os et les dents, mais on a également retrouvé des empreintes d'excréments, d'œufs, de traces de pattes et de relief de peau. La plupart des fossiles sont découverts par des experts nommés paléontologues, des scientifiques qui étudient la vie préhistorique. Ils rassemblent les os et tous les restes afin d'apprendre le plus de choses possible sur les dinosaures.

Excréments de dinosaures fossilisés.

Empreintes de peau de dinosaure.

DES FOUILLES POUR RETROUVER DES OS
Les os de dinosaures fossiles doivent être extraits de la roche avec beaucoup de précaution, et avec des outils variés : des burins, par exemple, mais aussi des brosses souples. Quand on trouve des os très grands dans un bloc de pierre, il faut les envelopper dans de la toile et du plâtre pour les protéger pendant le transport.

Chaque os est photographié avant d'être retiré de la roche.

Les os de grande taille, enveloppés dans du plâtre, doivent être manipulés avec beaucoup de précaution.

Des ouvriers enveloppent un os dans de la toile et du plâtre.

DU DINOSAURE AU FOSSILE

1 **Quand le dinosaure** meurt, sa chair se putréfie et disparaît. Il ne reste plus que les os.

2 **Les os sont** peu à peu recouverts par des couches de boue et de sable.

3 **En quelques millions d'années,** la boue, le sable et les os se transforment en roche.

4 **Les couches de roche** usées par le vent et la pluie et les os fossilisés, très durs, finissent par apparaître.

À LA DÉCOUVERTE DES DINOSAURES

Pour parvenir à exhumer des fossiles, les fouilles peuvent durer des semaines et les scientifiques installent le plus souvent un campement sur le site.

Les os enveloppés sont prêts à être chargés sur des camions.

Un expert en fossiles est en train de ciseler la roche au burin.

RECONSTITUTION DU SQUELETTE
Dans un laboratoire ou un musée, les spécialistes finissent de détacher l'os de la pierre. Ils reconstituent autant que possible le squelette. Grâce aux marques laissées sur les os par les muscles, ils parviennent à s'approcher le plus possible de la réalité.

Préparation de la reconstitution du squelette.

Des enfants à la recherche de fossile

La position de chaque os est reportée sur une carte du site.

Des archéologues en train d'extraire des restes de dinosaure.

TOI AUSSI TU PEUX TROUVER DES FOSSILES
Tout le monde peut découvrir des fossiles, bien qu'ils ne soient pas tous de dinosaures. Cherche sur la plage ou aux endroits où la roche est sédimentaire, comme le grès ou le schiste. Il te faut des outils simples : un marteau et un burin, par exemple. Demande à un adulte de t'aider à tailler la roche, tu pourrais découvrir de superbes fossiles à l'intérieur.

Des outils

POUR EN SAVOIR PLUS
LA TERRE : fossiles
L'HISTOIRE ANCIENNE : fouilles archéologiques

18   19

Les pages numérotées de Mickey t'aident à trouver ce que tu cherches. N'oublie pas qu'il existe aussi un glossaire et un index à la fin de chaque volume.

Les chiffres te guident pas à pas dans le déroulement d'un événement.

Mickey t'indique quelles informations complémentaires tu dois rechercher dans les autres volumes de ton encyclopédie.

POUR EN SAVOIR PLUS
LA TERRE : les fossiles
L'HISTOIRE ANCIENNE : les fouilles archéologiques

C'EST INCROYABLE !

★ Les ailes déployées du *pteranodon* mesuraient environ 7 m d'un bout à l'autre. C'est à peu près deux fois plus large qu'une voiture de taille moyenne.

Tes personnages préférés connaissent des détails incroyables qui étonneront tes amis.

UN MONDE EN PLEINE TRANSFORMATION

on

Le monde au crétacé
Terre — Mer peu profonde — Mer profonde

Le pteranodon, *un reptile volant.*

L'ichthyosaurus, *un reptile marin.*

L'ichthyornis, *un oiseau.*

Le tarbosaurus, *un grand dinosaure chasseur.*

UN CLIMAT CHANGEANT
Au début de la période crétacée, le climat était chaud en permanence, mais il y avait aussi, chaque année, des saisons humides et des saisons sèches.

C'EST INCROYABLE !

★ Les ailes déployées du *pteranodon* mesuraient environ 7 m d'un bout à l'autre. C'est à peu près deux fois plus large qu'une voiture de taille moyenne.

PLANTES À FLEURS
Les plantes à fleurs sont probablement apparues près de l'Équateur 120 millions d'années environ avant aujourd'hui. Les abeilles et d'autres insectes volants ont propagé leur pollen et bientôt des fleurs se sont mises à pousser partout. Les fougères et les cycas sont alors devenus beaucoup moins abondants.

Plantes à fleurs.

> **POUR EN SAVOIR PLUS**
> LES INSECTES ET ARAIGNÉES : abeilles
> LA VIE VÉGÉTALE : plantes à fleurs

Les complices de Mickey font eux-mêmes quelques expériences.

fenêtre couleur met informations ortantes valeur.

Sommaire

Les insectes et les araignées

Les espèces d'insectes sont plus nombreuses que l'ensemble des autres espèces d'animaux. On y trouve de féroces rapaces, d'autres qui sont passés maîtres dans l'art du déguisement... Certains insectes piquent, d'autres mordent ou empoisonnent leurs proies. Les araignées et leurs cousines déploient elles aussi des méthodes meurtrières pour se défendre et attaquer.

Les insectes ne sont pas tous nuisibles. Le bombyx du mûrier fabrique de la soie, les abeilles nous donnent du miel. Les insectes transportent aussi le pollen d'une fleur à l'autre et aident celles-ci à se reproduire.

Qui sont les insectes et les araignées ?

Les insectes et les araignées sont des invertébrés. Cela signifie qu'ils n'ont pas de squelette osseux à l'intérieur du corps. Nous connaissons plusieurs millions d'insectes différents, mais les scientifiques estiment qu'il en existe près de 30 millions. Les araignées et leurs cousins appartiennent à la classe des arachnides. Nous connaissons 70 000 espèces d'arachnides.

C'EST INCROYABLE !

★ Il y a des millions d'années, des insectes géants vivaient déjà sur Terre, comme une libellule dont les ailes mesuraient 60 cm d'envergure.

L'ARAIGNÉE CLASSIQUE

Il est facile de différencier une araignée et un insecte. Le corps des araignées est divisé en deux parties seulement : la tête et le thorax qui sont liés, et l'abdomen. Elles ont huit pattes et ne possèdent ni ailes ni antennes.

Paire d'ailes *antérieures.*

Paire d'ailes *postérieures.*

Locuste.

Les antennes aident *l'insecte à découvrir son environnement.*

La tête *se trouve à l'avant du corps.*

Yeux.

L'INSECTE CLASSIQUE

Le corps d'un insecte est protégé par une enveloppe dure qu'on appelle exosquelette. Il est divisé en trois parties. À l'avant se trouve la tête, suivie du thorax, puis de l'abdomen à l'arrière. Les insectes ont six pattes, et la plupart possèdent deux paires d'ailes sur le thorax. Ils ont des antennes sensibles sur la tête.

Le thorax se trouve *au centre.*

Les pattes *se terminent par de petites griffes.*

L'abdomen forme *l'arrière du corps.*

Crochets, *appelés chélicères.*

Les pattes *sont divisées en sept sections.*

Les filières *contiennent les glandes qui fabriquent la soie.*

Tarentule.

Quatre paires *de pattes.*

L'abdomen est relié *au thorax par une taille étroite.*

Tête et thorax soudés *(céphalothorax).*

Yeux.

Deux ou trois griffes *à l'extrémité des pattes.*

es pédipalpes *ignalent sa résence au artenaire.*

Trois paires *de pattes.*

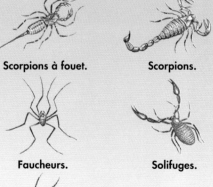

TYPES D'ARACHNIDES
Les principaux types d'arachnides.

Scorpions à fouet.

Scorpions.

Faucheurs.

Solifuges.

Araignées.

Tiques et mites.

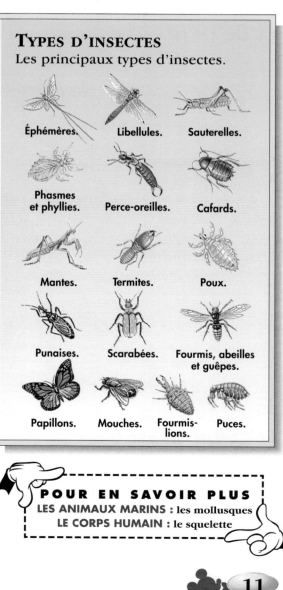

TYPES D'INSECTES
Les principaux types d'insectes.

Éphémères.

Libellules.

Sauterelles.

Phasmes et phyllies.

Perce-oreilles.

Cafards.

Mantes.

Termites.

Poux.

Punaises.

Scarabées.

Fourmis, abeilles et guêpes.

Papillons.

Mouches.

Fourmis-lions.

Puces.

POUR EN SAVOIR PLUS
LES ANIMAUX MARINS : les mollusques
LE CORPS HUMAIN : le squelette

Cafards et perce-oreilles

On trouve des cafards partout, y compris dans nos maisons. Pendant la journée, ils se cachent dans les trous et les fissures. La nuit, ils sortent et se jettent sur la nourriture qu'ils peuvent trouver. Le jour, les perce-oreilles se dissimulent sous les pierres, mais la nuit, ils se nourrissent de plantes et de petits insectes.

Cafard emprisonné dans un morceau d'ambre.

INSECTE DANS L'AMBRE

Les premiers cafards sont apparus sur Terre il y a environ 350 millions d'années. Les scientifiques ont découvert des cafards dans des morceaux d'ambre. L'ambre est une pierre fossile composée de résine solidifiée qui émanait des pins préhistoriques. On peut en faire des bijoux.

Une enveloppe rigide *protège le cou et la tête.*

Longues antennes *sensibles.*

Puissantes mandibules *pour mâcher la nourriture.*

Des ailes puissantes *se replient sur les ailes postérieures, plus délicates, afin de les protéger.*

LE CAFARD ET SES ŒUFS

Les femelles pondent leurs œufs dans une poche rigide qu'elles transportent avec elles. Lorsque les œufs sont prêts à éclore, la mère dépose la poche dans un coin sombre.

Femelle cafard et sa poche à œufs.

Grâce à ses longues pattes, *elle court vite.*

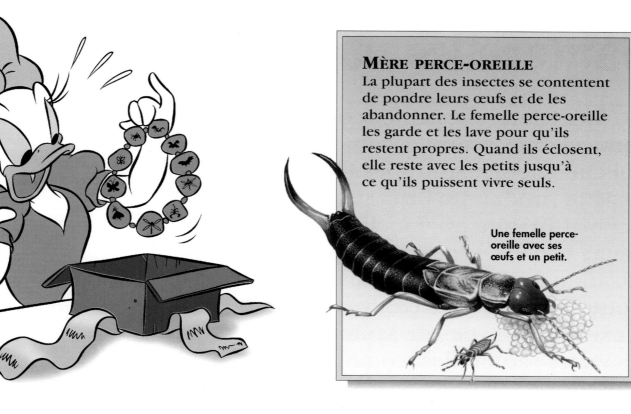

MÈRE PERCE-OREILLE
La plupart des insectes se contentent de pondre leurs œufs et de les abandonner. Le femelle perce-oreille les garde et les lave pour qu'ils restent propres. Quand ils éclosent, elle reste avec les petits jusqu'à ce qu'ils puissent vivre seuls.

Une femelle perce-oreille avec ses œufs et un petit.

La poche
protège les œufs.

Jeune cafard.

AVEC OU SANS AILES
La plupart des cafards ont deux paires d'ailes. Pourtant, ils ne volent pas très vite et ne vont jamais loin. Certains cafards qui passent leur vie sous terre n'ont pas d'ailes car ils n'en ont pas besoin.

Ailes antérieures
puissantes.

Ailes postérieures
légères.

Les griffes
s'accrochent sur les surfaces.

Cafard en vol.

C'EST INCROYABLE !
★ Le cafard géant mesure près de 10 centimètres, deux fois la longueur d'un pouce d'enfant.

POUR EN SAVOIR PLUS
LA TERRE : les fossiles, les pins

13

Sauterelles et criquets

Les sauterelles et les criquets sont célèbres pour le chant des mâles qui cherchent à attirer les femelles. Chacun produit un bruit particulier qui n'attire que les femelles de la même espèce. Ce chant ne provient pas d'un organe vocal, mais du frottement des ailes contre les pattes. Il existe trois types de sauterelles : les vraies sauterelles, comme la grande sauterelle verte et les grillons, qui ont de longues antennes, ainsi que les criquets, qui ont des antennes plus petites.

Antennes courtes.

Gros yeux.

Petites ailes antérieures.

Sauterelle.

Abdomen long.

Organe auditif situé au-dessus de la patte arrière

SAUTER HORS DE DANGER

Les sauterelles ont de longues pattes postérieures très puissantes qui les aident à échapper à leurs ennemis. En sautant, elles déploient leurs ailes aux couleurs vives pour effrayer ceux-ci. Elles volent sur de courtes distances, avant de se reposer.

CREUSER UN TERRIER

Les grillons vivent sous terre et se nourrissent des racines des plantes. Ils se servent de leurs pattes antérieures comme de pelles pour creuser. La plupart des grillons n'ont pas d'ailes et ne peuvent pas voler.

Un grillon creuse son terrier.

Une sauterelle
*peut faire des bonds
de dix mètres ou plus.*

**Ailes
colorées.**

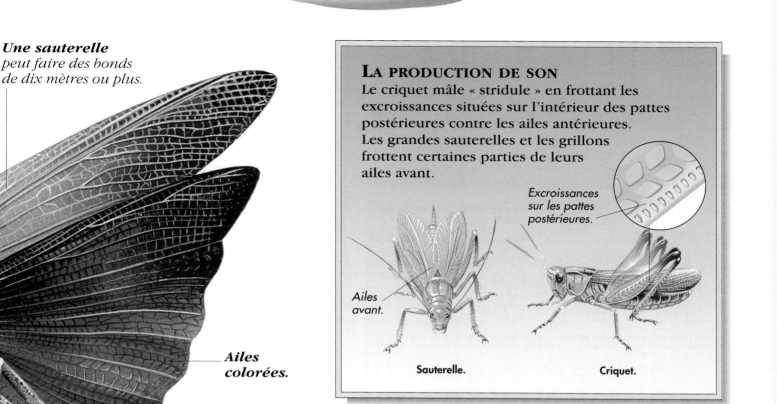

LA PRODUCTION DE SON

Le criquet mâle « stridule » en frottant les excroissances situées sur l'intérieur des pattes postérieures contre les ailes antérieures. Les grandes sauterelles et les grillons frottent certaines parties de leurs ailes avant.

Excroissances sur les pattes postérieures.

Ailes avant.

Sauterelle.   Criquet.

ESSAIMS DE CRIQUETS

Certains criquets, comme les locustes, vivent en groupe de milliards d'individus. Ils s'abattent sur un champ et mangent toutes les feuilles. Une nuée de criquets peut causer des ravages dramatiques dans les cultures.

Essaim de locustes sur une plante.

Pattes postérieures
puissantes.

Mâchoires
puissantes.

Locuste sur
une feuille.

C'EST INCROYABLE !

★ La plus grande nuée de criquets jamais vue en Afrique comportait plus de 75 milliards d'individus. Elle couvrait une zone de plus de 1 300 km carrés.

POUR EN SAVOIR PLUS
LE CORPS HUMAIN : l'audition
LES SCIENCES QUI NOUS ENTOURENT : les sons

La croissance des insectes

Tous les insectes commencent leur vie sous forme de petits œufs qui éclosent et donnent des jeunes très différents de leurs parents. Avant de devenir adultes, les jeunes passent par une série de changements qu'on appelle métamorphose.

Au fur et à mesure de sa croissance, l'insecte devient trop gros pour rester dans son enveloppe rigide, si bien qu'il doit muer, c'est-à-dire se débarrasser de sa peau pour en acquérir une nouvelle. Ce processus peut avoir lieu plusieurs fois au cours de la croissance avant que l'insecte ne devienne adulte. Parfois, les changements sont spectaculaires. Les insectes fabriquent un cocon, où se développe une chrysalide qui se transforme en insecte adulte.

On peut observer la croissance et le développement des chenilles si on les conserve dans une boîte où elles peuvent se nourrir.

LA VIE D'UNE DEMOISELLE

Les œufs de demoiselle donnent des petits appellés nymphes, qui vivent et se nourrissent dans l'eau. En grandissant, la nymphe se débarrasse de sa peau, et il lui en pousse une autre. Cet événement se reproduit plusieurs fois. Il faut deux ans pour que la nymphe sorte de l'eau et prenne sa forme adulte.

La nymphe sort de l'eau *en grimpant sur une tige, puis la demoiselle adulte se libère de sa peau.*

Une fois libérée *de sa vieille peau, elle doit attendre plus d'une heure pour faire sécher ses longues ailes.*

Ancienne peau *de la nymphe.*

Lorsque les ailes *sont sèches, la demoiselle s'envole pour trouver un partenaire et s'accoupler.*

DE L'ŒUF AU PAPILLON

L'œuf mesure
2 mm de
diamètre.

1 **Le papillon pond des œufs**
sur une feuille. Il faut près
d'une semaine pour que l'œuf
donne naissance à une larve,
appelée chenille.

2 **La chenille se nourrit**
et grandit. Lorsqu'elle
a terminé sa croissance, elle
cesse de manger et s'accroche
à une feuille grâce à la soie
qu'elle produit elle-même.

LE CYCLE DE VIE D'UNE PUNAISE

Lorsqu'un œuf de punaise éclot, il en sort une
petite larve. Chaque fois qu'elle se débarrasse
de sa peau, la jeune punaise ressemble
un peu plus à l'insecte adulte. Lorsqu'elle
a terminé sa croissance, elle est prête
à se reproduire et à pondre des œufs.

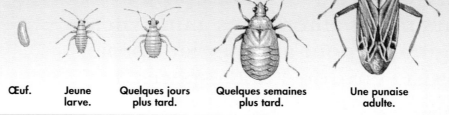

| Œuf. | Jeune larve. | Quelques jours plus tard. | Quelques semaines plus tard. | Une punaise adulte. |

3 **La chenille construit**
une enveloppe, appelée
cocon, tout autour de son
corps. À l'intérieur, la larve,
qu'on appelle alors
chrysalide, se transforme
en adulte.

Papillon
adulte.

Les ailes du papillon
se déploient petit à petit.

4 **Quelques semaines plus tard,**
le cocon éclate et il en sort un
magnifique papillon adulte capable
de se reproduire.

POUR EN SAVOIR PLUS
LES REPTILES ET LES AMPHIBIENS :
la métamorphose

Les mantes

Les mantes figurent parmi les insectes prédateurs. Elles projettent leurs pattes antérieures à une vitesse fulgurante pour attraper leur proie. Il existe environ 1 800 espèces de mantes. Souvent, elles prennent la couleur des feuilles ou des fleurs sur lesquelles elles vivent. Bien cachées, elles guettent patiemment leur proie.

De gros yeux aident *la mante à repérer sa proie.*

De solides mandibules *lui permettent de transpercer l'enveloppe rigide des autres insectes.*

Mante religieuse s'apprêtant à dévorer une sauterelle.

Pattes antérieures *parsemées d'épines acérées.*

MANTE CHASSEUSE

Les pattes antérieures d'une mante sont parsemées d'épines acérées qui lui permettent d'agripper et de retenir ses proies. Les femelles sont plus grosses que les mâles. Parfois, la mante dévore le mâle pendant ou après l'accouplement.

Proie prisonnière *des épines des pattes.*

UN DÉGUISEMENT PARFAIT

Les pattes postérieures de la mante-fleur sont aplaties afin de ressembler à des pétales. Ce camouflage permet à cette mante de rester invisible lorsqu'elle guette ses proies et la protège de ses ennemis, oiseaux ou lézards.

Une mante-fleur avec des pattes en forme de pétales.

La mante projette ses pattes antérieures pour attraper ses proies.

À L'AFFÛT

Lorsqu'elle guette sa proie, la mante tient ses pattes antérieures repliées. Elle reste immobile jusqu'au passage de l'insecte puis projette ses pattes à la vitesse de l'éclair. Elle l'attrape entre ses pattes parsemées d'épines et le dévore grâce à de puissantes mandibules.

C'EST INCROYABLE !

★ Il faut moins de 30 millièmes de seconde pour qu'une mante déploie ses pattes antérieures, attrape sa proie et la porte à sa bouche.

FAUSSE JUMELLE

Le mantispe est une espèce de chrysope et non une mante, mais il lui ressemble beaucoup et se conduit un peu de la même façon. Comme une mante, il projette ses pattes antérieures pour attraper de petits insectes et des mites.

Mantispe.

POUR EN SAVOIR PLUS
LA VIE VÉGÉTALE : les fleurs
LES REPTILES ET LES AMPHIBIENS : le camouflage

Libellules et demoiselles

Avec leurs grandes ailes étincelantes, les libellules sont des insectes au vol très rapide. Elles utilisent leur vitesse et leur habileté en vol pour capturer d'autres insectes. Leurs cousines, les demoiselles, sont plus petites et volent plus lentement. Les libellules et les demoiselles vivent près des rivières, des mares et des ruisseaux. Elles pondent leurs œufs dans l'eau. Les jeunes s'appellent des nymphes. Comme leurs parents, ce sont déjà de farouches chasseurs.

NYMPHE AQUATIQUE
Les nymphes de demoiselle et de libellule, dépourvues d'ailes, vivent et chassent sous l'eau. Leur mâchoire inférieure est munie de pinces. Les nymphes, voraces, projettent leurs pinces pour attraper et dévorer leur proie.

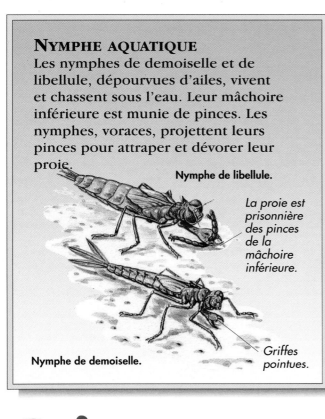

Nymphe de libellule.

La proie est prisonnière des pinces de la mâchoire inférieure.

Nymphe de demoiselle.

Griffes pointues.

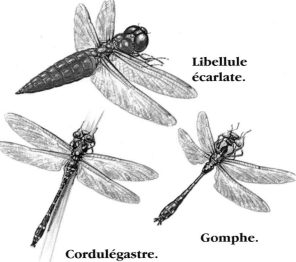

Libellule écarlate.

Gomphe.

Cordulégastre.

LES DIFFÉRENTES LIBELLULES
Il y a environ 5 000 espèces de libellules. Les gomphes s'installent sur un perchoir et se jettent sur leur proie. Les cordulégastres sont de grosses libellules qui vivent près des ruisseaux, dans les bois. La libellule écarlate chasse près des eaux stagnantes.

Corps mince.

Ailes iridescentes
qui brillent au soleil.

Gros yeux
*qui donnent une
bonne vue pour
repérer les proies.*

Mâchoires
puissantes.

Pattes minces
*pour se suspendre
et non marcher.*

L'anax attrape
une mouche
verte.

Pattes projetées
*vers l'avant pour
capturer la proie.*

Mouche
verte.

LA LIBELLULE CHASSERESSE

Les libellules volent au-dessus
de la surface de l'eau, les ailes
déployées et les pattes tendues
en avant, prêtes à saisir leur proie.
Elles sont capables de voler à
reculons et de faire du surplace.
Quand elles ne chassent pas,
elles se reposent sur les branches.

Demoiselle au repos.

DEMOISELLE OU LIBELLULE ?

Il est facile de différencier
demoiselles et libellules par
leur manière de tenir leurs ailes
au repos. Les demoiselles les
tiennent en arrière, alors que les
libellules les gardent sur le côté.

C'EST INCROYABLE !

★ La plus rapide des
libellules peut voler à près
de 60 km/h sur de courtes
distances. La plupart des
oiseaux ne sont pas aussi
rapides.

POUR EN SAVOIR PLUS
LES OISEAUX : le vol
LA VIE VÉGÉTALE : les plantes d'eau douce

Les punaises

On regroupe sous le nom de punaise de nombreux insectes possédant un long bec suceur en forme de tube, capable de percer des trous dans la nourriture ou d'en extraire le jus. Certains sont des prédateurs et chassent de petits animaux comme les grenouilles, les poissons et les escargots. D'autres comme les punaises des lits se nourrissent de sang humain. Elles sont dangereuses car elles propagent des maladies.

LES PUNAISES HERBIVORES

Les punaises à bouclier sont souvent herbivores. Elles vivent dans les buissons et les arbres et se nourrissent de sève et de fruits. Elles tirent leur nom de leur corps aplati qui ressemble au bouclier d'un guerrier. Elles ont souvent des couleurs vives.

Un bouclier aplati
*protège le cou
et la tête.*

**Punaise à bouclier
qui se nourrit sur
une feuille.**

De longues antennes
*permettent de découvrir
l'environnement.*

**Une cigale adulte
émerge de
sa chrysalide.**

De puissantes mandibules
*pour percer ou sucer la
nourriture se trouvent
en dessous du corps.*

LE CHANT DE LA CIGALE

La cigale est souvent classée, à tort, parmi les punaises à cause de la forme de sa bouche. La femelle pond des œufs dans des tiges fendues. Lorsque l'œuf éclot, la nymphe vit sous terre. Certaines cigales vivent sous forme de nymphe pendant 17 ans avant de devenir adultes.

BUVEUSES DE SANG

Les punaises des lits se cachent pendant la journée et sortent se nourrir la nuit. Elles sucent le sang des animaux ou des êtres humains. Elles ne vivent pas sur leur hôte mais infestent leur couche ou leur nid.

Punaises des lits sur un matelas.

C'EST INCROYABLE !

★ La cigale est le plus bruyant de tous les insectes. Son chant peut atteindre 112 décibels, le niveau sonore du décollage d'un avion à réaction.

Extrémité *transparente des ailes antérieures.*

De solides élytres *protègent l'abdomen et les ailes postérieures.*

Les poils imperméables *du gerris lui permettent de se déplacer à la surface de l'eau.*

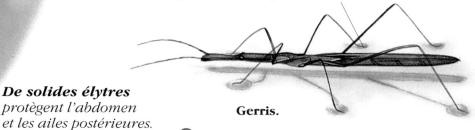

Gerris.

PUNAISES D'EAU

De nombreuses espèces de punaises d'eau vivent dans les lacs, les mares et les rivières. Certaines sont si légères qu'elles peuvent marcher sur l'eau sans troubler la surface. D'autres nagent en se servant de leurs pattes postérieures et médianes. Les punaises d'eau géantes peuvent mesurer jusqu'à 6 cm. Elles plongent sous la surface pour attraper leurs proies.

La punaise d'eau se nourrit de petites plantes et d'algues.

POUR EN SAVOIR PLUS
LE CORPS HUMAIN : le sang
LES REPTILES ET LES AMPHIBIENS : les grenouilles

La punaise d'eau géante attrape un poisson avec ses pattes antérieures.

23

Puces et poux

Les puces et les poux sont des parasites. Cela signifie qu'ils vivent et se nourrissent sur d'autres animaux, qu'on appelle leur hôte. Les puces percent la peau des oiseaux et des mammifères pour sucer leur sang. Les puces ne volent pas, mais, étant donné leur taille, elles sautent plus haut et plus loin que n'importe quel autre animal. Certains poux se nourrissent aussi de sang. D'autres se servent de leurs mandibules pour mâcher les cheveux, les poils, les plumes ou la peau de leurs hôtes. Plusieurs espèces s'attaquent aux êtres humains.

CHAMPIONNE DE SAUT

Une puce de chat peut sauter jusqu'à 200 fois sa longueur. Cela signifie qu'elle peut passer de la couche de l'animal à sa fourrure. Des sortes de petits peignes sur la tête de la puce l'aident à se fixer dans les poils pendant qu'elle suce le sang de l'animal. La puce utilise également ses griffes en forme de crochet pour s'agripper à la peau du chat.

Résiline.

SAUT OLYMPIQUE

Les pattes postérieures contiennent une substance élastique appelée résiline qui donne de la puissance au saut. Elle agit comme une sorte de catapulte pour propulser la puce dans les airs.

LES PUCES ET LA PESTE

L'épidémie de peste noire tua des millions de personnes au XIVe siècle. Elle se propagea par l'intermédiaire des puces qui vivaient sur des rats infestés. Les puces ont ensuite transmis à l'homme la maladie.

Une puce de rat, grossie 30 fois.

Des épines
*sur le sommet de
la tête de la puce
lui permettent
de s'accrocher
à la fourrure
du chat.*

C'EST INCROYABLE !

★ La plus grande espèce
de puce mesure près
de 8 mm, la moitié
de celle qui
est représentée
ici.

POUX DE PLUMES

Les poux de plumes se
nourrissent des plumes des
oiseaux. Ils s'accrochent
grâce à deux griffes solides.
Les plus petites espèces
infestent les colibris, les plus
petits oiseaux du monde.

Pou de plumes, grossi 40 fois.

**Puce
de chat.**

Les poils sont
*très sensibles
au moindre
mouvement.*

Cheveu.

Griffes.

Pou.

DES CHEVEUX POUR MAISON

Les poux se nichent sur
la tête des êtres humains.
Ils s'accrochent aux cheveux
grâce à leurs pattes puissantes
et à leurs griffes pendant qu'ils
sucent le sang. Les femelles
pondent leurs œufs, les lentes,
dans les cheveux, où ils restent
collés grâce à une substance
gluante qu'ils produisent.

Les mandibules
*percent la peau
et aspirent le sang.*

Longues pattes
*postérieures pour
sauter sur l'animal.*

Les poux changent
*de couleur pour se dissimuler
dans la chevelure.*

Griffe pour s'accrocher
à la peau du chat.

POUR EN SAVOIR PLUS
LES OISEAUX : les plumes
LE CORPS HUMAIN : les cheveux

Le déplacement des insectes

Les insectes ont besoin de se déplacer pour trouver leur nourriture, un partenaire pour s'accoupler ou un lieu où se cacher. Presque tous sont capables de marcher ou de ramper, la plupart volent, certains nagent ou sautent.

Un insecte classique se déplace avec ses trois paires de pattes en avançant les pattes de chaque paire l'une après l'autre. Toutes les pattes des insectes sont composées des mêmes éléments de base. Elles sont adaptées à différentes fonctions, comme la nage ou le saut. Les insectes volants possèdent de puissants muscles thoraciques qui les aident à mouvoir leurs ailes. Ils doivent battre des ailes très rapidement pour rester en l'air. Certaines mouches appelées syrphes battent des ailes mille fois par seconde.

On peut rassembler des insectes dans un pot de fleurs pour étudier leurs déplacements.

Grandes ailes antérieures.

Réseau de nervures.

LA STRUCTURE DES AILES

Toutes les ailes des insectes sont reliées au thorax, la partie centrale du corps. La plupart sont composées d'une délicate pellicule appelée membrane, renforcée par un réseau de nervures. Ces nervures contiennent des nerfs et du sang.

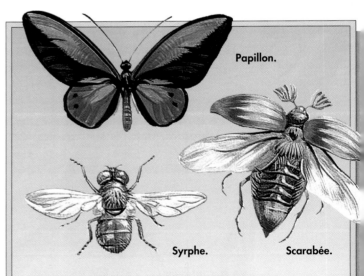

Papillon.

Syrphe.

Scarabée.

LES AILES DES INSECTES

Les papillons, les scarabées et bien d'autres insectes ont deux paires d'ailes. Les mouches n'en ont qu'une. Les ailes antérieures de certains insectes comme les scarabées sont dures et rigides. Ce sont les élytres, qui protègent les ailes plus délicates et ne servent pas à voler.

Antennes
courtes.

RAMPER, NAGER OU SAUTER

Comme la plupart des insectes,
le poisson d'argent (ou lépisme)
se déplace très vite sur ses six pattes.
De nombreuses chenilles ont de
« fausses pattes », de petits appendices,
qui les aident à propulser leur corps
en avant grâce à des mouvements
de vagues. Certains scarabées nagent
très bien, alors que d'autres sautent
pour fuir le danger.

Taupin.

Le scarabée
*peut faire des
bonds de 30 cm.*

Petites ailes
antérieures.

**Un éphémère
en vol.**

Le poisson d'argent
*guette le danger entre deux
déplacements rapides.*

Poisson d'argent.

Les fausses
*pattes se
rapprochent
des vraies
pattes.*

Les vraies
*pattes s'étirent
vers l'avant.*

Des pattes velues
*aident le scarabée à
se déplacer sous l'eau.*

Dytique.

Chenille.

Les longues pattes
*sont presque inutiles
pour le déplacement,
mais elles permettent
de s'accrocher à tous
les supports.*

Trois longues « queues »
*permettent à l'éphémère de
garder son équilibre en vol.*

POUR EN SAVOIR PLUS
LES OISEAUX : les ailes
LE CORPS HUMAIN : les veines

Les scarabées

👉 Les scarabées constituent le groupe d'insectes le plus important. Nous en connaissons au moins 250 000 espèces, et il nous en reste beaucoup à découvrir. Les scarabées vivent partout dans le monde, des déserts tropicaux les plus arides à la forêt vierge humide. Ils possèdent de puissantes mandibules et ingurgitent toutes sortes de nourriture, végétale ou animale.

C'EST INCROYABLE !
★ Les yeux du gyrin, aussi appelé tourniquet, sont divisés en deux de sorte que l'insecte peut voir au-dessus et en dessous de la surface de l'eau en même temps.

DES COMBATTANTS À CORNES
Les dynastes ont de grandes cornes sur le corps et la tête. Elles leur servent d'armes pour repousser leurs rivaux. Ce scarabée essaie de soulever son adversaire de terre et de le renverser. Lorsqu'un scarabée se retrouve sur le dos, il n'est pas toujours capable de se retourner.

Corne rattachée au thorax.

Longues cornes utilisées pour le combat.

Corne de la tête.

UN JOYAU VIVANT
Les buprestes sont de magnifiques scarabées aux couleurs chatoyantes qui se nourrissent de plantes et de nectar. Leurs larves se nourrissent de bois mort ou de plantes. Ils sont souvent très nuisibles pour les forêts.

Bupreste.

Les dynastes mesurent jusqu'à 19 cm de long, cornes comprises.

Deux dynastes mâles combattent pour gagner les faveurs d'une femelle.

Pattes postérieures puissantes.

**Femelle bousier qui roule
une boule de bouse.**

PIERRE QUI ROULE

La femelle bousier rassemble les
déjections d'animaux pour en
former une boule de bouse. Elle
la fait rouler jusqu'à son terrier et
y pond ses œufs. Lorsque les larves
éclosent, elles se nourrissent
de cette bouse.

**Goliath
mâle.**

Les élytres
protègent les ailes
du scarabée.

UN CHASSEUR RAPIDE

La cicindèle est un insecte prédateur
rapide qui saisit ses proies grâce à
ses mandibules. Ses larves sont très
voraces. Elles creusent un sillon et
se cachent dans le sol, en attendant
qu'un insecte passe à proximité.

SCARABÉE GÉANT

Le goliath d'Afrique est l'un
des insectes les plus gros
et les plus lourds qui soient.
Les mâles peuvent atteindre
12,5 cm et peser près de
100 grammes, trois fois plus
qu'une souris. Les femelles
sont plus petites.

**Une cicindèle
adulte dévore
une coccinelle.**

POUR EN SAVOIR PLUS
LES DINOSAURES : les dinosaures à cornes
LA VIE VÉGÉTALE : la forêt tropicale

Mouches et moustiques

On trouve des mouches partout dans le monde. Parmi les rares créatures qui vivent dans l'Antarctique, on trouve des mouches. Contrairement à la plupart des insectes, les mouches n'ont qu'une seule paire d'ailes. Les ailes postérieures sont réduites à deux petites excroissances appelées haltères qui leur servent de balanciers pendant le vol. Il y a plus de 90 000 espèces de mouches et de moustiques.

Griffes
à l'extrémité des pattes.

Mandibules
pour aspirer la nourriture liquide.

Une mouche domestique marche au plafond.

Les yeux composés
de la mouche repèrent le moindre mouvement.

Mandibules qui percent
la peau de la victime.

Un moustique se nourrit de sang.

UN MOUCHE AU PLAFOND

La mouche domestique possède de minuscules griffes et des coussinets collants qui lui permettent de s'agripper sur les surfaces les plus lisses. C'est grâce à ces éléments que la mouche peut marcher au plafond, la tête en bas.

SUCEUR DE SANG

Les moustiques femelles se nourrissent du sang des animaux. Leur morsure peut propager des maladies, comme la malaria ou la fièvre jaune. Les moustiques mâles ne sucent pas le sang, ils se nourrissent du nectar des plantes.

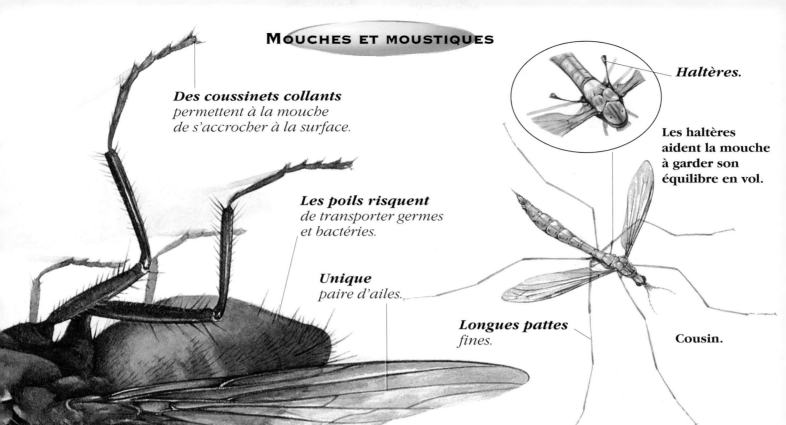

Des coussinets collants permettent à la mouche de s'accrocher à la surface.

Les poils risquent de transporter germes et bactéries.

Unique paire d'ailes.

Haltères.

Les haltères aident la mouche à garder son équilibre en vol.

Longues pattes fines.

Cousin.

LE COUSIN

Avec ses longues pattes fines et ses ailes minces, le cousin ressemble à un gros moustique. Les adultes ne vivent que quelques jours et ne se nourrissent sans doute pas. Les larves se nourrissent de racines et de plantes en putréfaction.

LA PLAIE DU BÉTAIL

Les taons ont de très gros yeux brillants, rouges, or et verts. Les mâles se nourrissent du nectar sucré des fleurs. Les femelles piquent les chevaux et le bétail ou les autres mammifères pour sucer leur sang.

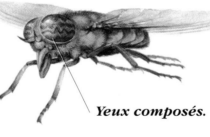

Yeux composés.

Taon.

C'EST INCROYABLE !

★ La larve de la mouche *Psilopa* se développe dans les mares de pétrole en Californie. Elle se nourrit des petits insectes piégés par la surface gluante.

LES YEUX DE MOUCHE

Les gros yeux des mouches sont des yeux composés. Ils sont constitués de milliers de minuscules lentilles, appelées facettes, et sont très sensibles au moindre mouvement extérieur.

L'œil composé d'une mouche.

POUR EN SAVOIR PLUS
LE CORPS HUMAIN : le sang
LA VIE VÉGÉTALE : le nectar

31

Les papillons

☞ Il existe environ 200 000 espèces de papillons diurnes et nocturnes. Certains mesurent moins d'un centimètre de long, d'autres sont des géants, plus grands que certains oiseaux. Ils possèdent deux paires d'ailes et des mandibules très particulières, munies d'un long tube creux qui leur permet d'absorber des liquides. Les jeunes sont des chenilles qui se nourrissent de plantes.

JOUR OU NUIT ?

Les papillons diurnes ont souvent des couleurs chatoyantes. Les papillons nocturnes sont souvent ternes et gris. Les papillons de nuit ont des antennes droites ou plumeuses. Les papillons de jour ont des antennes en forme de minuscules massues.

Antennes terminées par de minuscules massues.

Gros plan des écailles d'un papillon.

Chenille de papillon *Reine Alexandra.*

Ornithoptère *Reine Alexandra.*

DES AILES ÉTINCELANTES

Les ailes des papillons sont couvertes d'écailles, qui sont en fait composées de minuscules poils aplatis. Ces poils se superposent comme des tuiles sur le toit d'une maison. Chaque écaille possède une fixation propre et peut se soulever ou s'abaisser. Elles forment de magnifiques dessins qui scintillent au soleil.

Sphinx en vol.

UN VOL RAPIDE

Les sphinx ont un vol rapide et puissant. Ils peuvent atteindre une vitesse de 40 km/h. Ce sont les plus rapides de tous les papillons diurnes comme nocturnes. Ils sont également capables de planer sur place pour se nourrir de nectar.

Antennes plumeuses
très sensibles aux odeurs.

Ailes aux
couleurs douces.

Ailes
*couvertes de
petites écailles.*

Zones transparentes
dépourvues d'écailles.

Atlas.

BOIRE À LA PAILLE

Les papillons se nourrissent de liquide, tels le nectar des fleurs ou le jus des fruits. Ils aspirent la nourriture grâce à un long tube mince, la trompe, qui fonctionne comme une paille. Lorsqu'elle ne sert pas, la trompe est enroulée sous la tête. Elle peut mesurer jusqu'à 15 cm.

Longue
trompe.

Sphinx de Madagascar.

C'EST INCROYABLE !

★ L'atlas est l'un des plus grands papillons du monde. Ses ailes ont 15 cm d'envergure.

Un enfant avec une maquette de papillon atlas grandeur nature dans la main.

POUR EN SAVOIR PLUS
LA VIE VÉGÉTALE : la pollinisation
LES REPTILES ET LES AMPHIBIENS : les écailles

33

Nourriture et alimentation

Les insectes se nourrissent un peu de tout et de n'importe quoi. Certains mangent des feuilles, des tiges et des fleurs ou boivent leur nectar. Les carnivores attrapent de petites proies ou se nourrissent de cadavres d'animaux. Certains insectes sucent du sang, grignotent le papier, la laine ou le bois.

Les mandibules des insectes sont particulièrement adaptées à leur mode d'alimentation. Les insectes qui se nourrissent de liquide, comme le nectar des fleurs, possèdent une trompe. Ceux qui se nourrissent de sang ou de sève sont capables de percer les plantes ou la peau pour aspirer leur nourriture. Les scarabées, qui ingurgitent des aliments solides, sont dotés de mâchoires puissantes.

La mouche domestique possède une pièce buccale qui lui permet d'absorber le liquide, telle une petite éponge.

LES VÉGÉTARIENS

Certaines punaises ont une pièce buccale en forme de long tube. Elle leur permet de percer des trous dans les feuilles ou les tiges et d'aspirer la sève qui se trouve à l'intérieur. Ces punaises sont souvent vertes pour mieux se dissimuler dans la végétation.

Punaise verte sur une feuille.

FAIRE DES RÉSERVES

Les abeilles collectent le nectar et le pollen des fleurs pour les ramener à la ruche. Lorsqu'une abeille se pose sur une fleur, le pollen s'accroche à son corps velu. L'abeille le rassemble entre ses pattes postérieures, où de petits poils le retiennent.

Asile-frelon et sa proie.

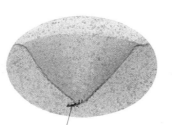

Fourmi-lion
au fond de son piège.

LA FOURMI-LION

La larve de la fourmi-lion creuse un trou dans le sol. Elle se laisse tomber au fond et attend, mâchoires grandes ouvertes. Si une fourmi tombe au fond, la fourmi-lion bondit sur sa proie.

INSECTE CHASSEUR

L'asile-frelon est un chasseur féroce et rapide. Il pourchasse les autres insectes en vol et bondit sur eux au sol, les capturant avec ses puissantes pattes garnies de cils. Il perce alors le corps de sa victime et se nourrit des liquides organiques.

Les mâchoires
pointues sont prêtes à dévorer la proie.

Fourmi-lion aux aguets.

Le pollen s'accroche
à son corps.

L'abeille
rassemble le pollen entre ses pattes.

LES CHAROGNARDS

Certains scarabées se nourrissent des cadavres de souris et d'oiseaux. Ils enterrent parfois les corps dans le sol et pondent leurs œufs dans la viande en putréfaction afin que les larves ne manquent pas de nourriture quand elles éclosent.

Un scarabée charognard et ses larves.

Des petits poils
l'aident à ôter le pollen du corps.

L'abeille suce
le nectar.

Une abeille récolte le pollen.

POUR EN SAVOIR PLUS
LES OISEAUX : les rapaces
LA VIE VÉGÉTALE : la pollinisation

Les abeilles

Certaines espèces d'abeilles et de bourdons vivent en groupes de plusieurs milliers d'individus, qu'on appelle colonies. La colonie est centrée autour d'une énorme femelle, la reine. Les ouvrières entretiennent la ruche, collectent le nectar et le pollen pour en faire des réserves de nourriture et s'occupent des jeunes. D'autres abeilles vivent en solitaires et ne construisent pas de nids.

Une ouvrière remplit une alvéole de pollen pour nourrir les larves.

LA RUCHE

Les abeilles construisent leur ruche dans les arbres, comme les oiseaux leur nid. Elle est constituée d'alvéoles hexagonales (ou à six côtés) faites de cire produite par les abeilles. Certaines de ces alvéoles servent à engranger le miel. D'autres permettent de pondre les œufs et d'élever les larves.

Alvéole faite de cire.

La reine pond les œufs.

LA DANSE DES ABEILLES

À l'intérieur de la ruche, les ouvrières exécutent un étrange ballet pour expliquer à leurs congénères où se trouvent les sources de nourriture. La vitesse et la direction des mouvements donnent des indications précises. Plus la danse est rapide, plus la source de nourriture est abondante.

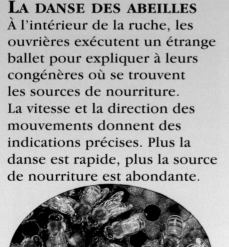

Des abeilles exécutent leur danse.

Faux bourdon (abeille mâle).

Abeille reine.

Abeille ouvrière.

LES DIFFÉRENTES ABEILLES

Dans une colonie, il y a différents types d'individus. La reine, la plus grosse des abeilles, pond les œufs. Les ouvrières sont aussi des femelles mais elles ne pondent pas d'œufs. Les mâles, peu nombreux, s'accouplent avec les nouvelles reines et forment de nouveaux essaims.

C'EST INCROYABLE !

★ Dans sa vie, une ouvrière collecte tout juste assez de nectar pour fabriquer 7 grammes de miel. Il faut 57 abeilles pour un pot de 400 grammes.

Abeille maçonne.

Le miel fabriqué *avec le nectar sert à nourrir la colonie pendant l'hiver.*

ABEILLE MAÇONNE

L'abeille maçonne vit en solitaire. Elle creuse un terrier dans la terre et tapisse les murs avec de la boue humidifiée par un liquide qui sort de son abdomen. Cela donne des murs très lisses, comme s'ils étaient en plâtre.

La cire *est fabriquée dans l'abdomen de l'abeille.*

Abeille tapissière sur une feuille.

La reine et les ouvrières autour des alvéoles.

UN NID DOUILLET

Grâce à ses puissantes mandibules, l'abeille tapissière coupe des morceaux de feuille qu'elle utilise pour tapisser son nid et pour le diviser en alvéoles. Elle les remplit de pollen et y pond ses œufs. Quand les larves sortent, elles ont de quoi se nourrir.

POUR EN SAVOIR PLUS
LES OISEAUX : les nids
LA VIE VÉGÉTALE : la vision de l'abeille

Les guêpes

☞ Comme les abeilles, de nombreuses espèces de guêpes vivent en colonies. Certaines, comme les cartonnières, construisent des nids avec du bois mastiqué. D'autres vivent en solitaires, comme les terrassières. Les guêpes adultes se nourrissent de nectar et de fruits mûrs, mais elles chassent de petits animaux pour nourrir leurs larves. La plupart des guêpes possèdent un dard à l'extrémité de l'abdomen qu'elles utilisent pour tuer leurs proies ou se défendre.

C'EST INCROYABLE !

★ Le plus grand nid de papier mâché, découvert en Nouvelle-Zélande, était aussi haut que deux hommes, il était si lourd qu'il a fini par tomber et se briser.

Abdomen long.

Dard.

Une taille étroite sépare le thorax de l'abdomen.

UN NID DE PAPIER MÂCHÉ

Pour construire leur nid, les guêpes cartonnières mâchent de minuscules particules de bois qui se mélangent à leur salive. Elles utilisent le matériau obtenu pour fabriquer les alvéoles hexagonales qui forment le cœur du nid et l'enveloppent de plusieurs couches externes. En général, elles suspendent leur nid à une branche.

Nid de papier mâché.

ENTERRÉ VIVANT

Les guêpes femelles chassent des insectes et des araignées. La guêpe pique sa proie pour la paralyser, mais elle ne la tue pas. Elle l'enterre ensuite dans un trou et dépose ses œufs sur sa proie. Ainsi, à leur éclosion, les larves disposent de nourriture fraîche.

Deux paires
d'ailes.

Mandibules.

Chenille
*qui servira
de nourriture
aux larves.*

Une guêpe enterre
sa proie.

NOURRIR LES JEUNES

Les cynipides pondent leurs œufs sur les bourgeons, les racines ou les feuilles des arbres. La plante développe une sorte d'excroissance, appelée galle, qui entoure chaque œuf. Quand elle éclot, la larve se nourrit de la chair qui l'entoure.

Une guêpe
sur une galle.

Larve d'insecte.

**Tube
de ponte.**

**Larve
d'insecte.**

CREUSER DANS LE BOIS

Les ichneumons pondent leurs œufs sur les larves d'autres insectes qui vivent sous l'écorce des arbres. La femelle les repère à l'odeur ou à leurs mouvements. Elle creuse un trou dans le bois, grâce au long tube pointu situé à l'extrémité de son corps, et y pond ses œufs. Quand elles éclosent, les larves dévorent les chenilles.

POUR EN SAVOIR PLUS
LES OISEAUX : les nids
LA VIE VÉGÉTALE : les fruits

Fourmis et termites

 Les fourmis, proches cousines des abeilles et des guêpes, vivent en immenses colonies qui peuvent compter jusqu'à 10 000 individus. Elles construisent des fourmilières dans les arbres ou la terre. Les termites vivent un peu comme les fourmis, mais ils ne font pas partie de la même famille. Ces petits insectes sont célèbres pour leurs nids en forme de tour qui atteignent plusieurs mètres de haut.

Cheminée *centrale.*

Tour : *comme dans une cheminée, l'air chaud monte et se refroidit, si bien que le nid garde une température constante.*

Cheminée *latérale.*

Reine termite.

Jardins où les termites *élèvent des champignons.*

Mâle ailé qui s'accouple avec la reine.

Soldat.

Ouvrier.

Réserves *de nourriture.*

Alvéole *des larves.*

NID DE TERMITES

Le nid est construit par les ouvrières. Elles fabriquent les murs avec de la boue ou du bois mastiqué, mélangé à leur salive. En séchant, ce matériau devient aussi solide que la pierre. Les soldats défendent le nid et la reine pond des œufs.

Alvéole *de la reine.*

L'intérieur d'une termitière.

C'EST INCROYABLE !

★ Certaines fourmis à miel sont utilisées comme garde-manger par leurs congénères. Elles sont tellement gorgées de nectar que leur corps enfle. Incapables de bouger, elles restent immobiles et, lorsque la nourriture se fait rare, les autres fourmis vont se servir dans cette réserve.

Fourmi à miel gonflée de nectar.

LES FOURMIS LÉGIONNAIRES

Contrairement aux autres fourmis, les fourmis légionnaires ou chasseresses ne vivent pas dans un nid. Elles se déplacent à travers la forêt en immenses colonnes composées de milliers d'individus. Elles se ruent sur les insectes, les serpents et autres créatures et les dévorent grâce à leurs puissantes mandibules.

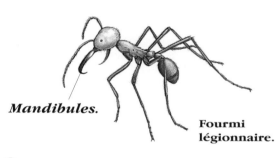

Mandibules.

Fourmi légionnaire.

LA CULTURE DE CHAMPIGNON

Les fourmis champignonnistes découpent des morceaux de feuilles et les emportent dans leur nid souterrain. Elles font pousser des champignons sur les feuilles en décomposition et se nourrissent de leurs cultures.

Des fourmis transportent des feuilles.

Les fourmis champignonnistes découpent les feuilles avec leurs mandibules.

POUR EN SAVOIR PLUS
LA VIE VÉGÉTALE :
la dispersion des graines

Les défenses des insectes

Beaucoup d'animaux se nourrissent d'insectes. Pourtant, ceux-ci savent se protéger et ne sont pas toujours des proies faciles pour leurs prédateurs.

Certains possèdent des dards et injectent du poison dans le corps de leurs ennemis. D'autres possèdent des couleurs vives, comme le rouge, le jaune et le noir, qui indiquent au prédateur éventuel qu'ils sont dangereux ou immangeables. Certains se protègent grâce à un camouflage qui leur permet de se fondre dans le paysage. D'autres encore prennent la forme d'un autre animal ou d'une plante. Le *Sphinx ligustri* est inoffensif, mais il ressemble à une guêpe virulente. Les ennemis s'y trompent et le laissent tranquille.

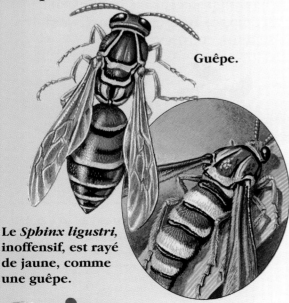

Guêpe.

Le *Sphinx ligustri*, inoffensif, est rayé de jaune, comme une guêpe.

BOMBARDIER

Le bombardier est un scarabée qui envoie un jet de vapeur brûlante et nocive sur ses ennemis. Ce produit toxique est fabriqué dans son abdomen à partir de deux substances inoffensives qui deviennent dangereuses lorsqu'on les mélange. Le jet s'accompagne d'un son sec.

Antenne.

Nuage de gaz toxique.

Des poils piquants couvrent le corps de la chenille.

Chenille à houppes.

UNE FOURRURE INQUIÉTANTE

Certaines chenilles sont couvertes de poils hérissés et d'épines. Elles blessent la bouche des oiseaux, qui apprennent vite à ne plus s'y frotter ! Ces chenilles peuvent aussi irriter la peau des êtres humains.

De solides élytres
protègent l'abdomen
et les ailes.

**Faux
yeux.**

Caligo.

Abdomen.

Le bombardier
peut retourner son
anus pour envoyer
un jet de gaz nocif
sur ses ennemis.

DES YEUX PARTOUT

Certains papillons possèdent
des marques sur les ailes qui
ressemblent à des yeux. Ils font
ainsi croire à l'ennemi qu'ils
sont plus gros et plus dangereux
qu'ils ne le sont en réalité.

Trois paires
de pattes.

**Bombardier qui envoie
un nuage de gaz.**

LE DARD

Le dard d'une guêpe sert
à injecter du poison dans
le corps de l'ennemi.
La guêpe le retire
ensuite du corps
de sa victime pour
s'en resservir
si nécessaire.

Sac de
venin.

Pointe.

Gros plan
d'un dard.

MAUVAIS GOÛT

Les couleurs vives du méloé
venimeux indiquent aux
prédateurs qu'il a un goût
épouvantable. Son corps
contient un venin puissant
qui paralyse les prédateurs.
Sur l'homme, il provoque
des brûlures douloureuses,
comme les orties.

Méloé.

POUR EN SAVOIR PLUS
LA VIE VÉGÉTALE : les techniques de survie
LES SCIENCES QUI NOUS ENTOURENT : le gaz

Des insectes et des hommes

L'homme considère souvent les insectes comme des espèces nuisibles. Les agriculteurs les détruisent car ils s'attaquent aux cultures. D'autres insectes mordent ou piquent et propagent des maladies. Pourtant, les insectes ne sont pas tous nuisibles. Certains sont même indispensables. Sans insectes pour transporter le pollen d'une fleur à l'autre, par exemple, la plupart des plantes périraient, et les hommes n'auraient plus rien à manger.

POLLINISATEUR

Les petits grains de pollen sont fabriqués par la partie mâle de la fleur. Le pollen doit aller sur les parties femelles pour que les graine puissent se former et donner de nouvelles plantes. Le pollen accroché sur les mouches et les abeilles qui se nourrissent sur les fleurs est déposé par ces insectes sur la partie femelle de la plante suivante.

Une seule paire d'ailes.

Corps couvert de pollen.

La syrphe plane au-dessus de la fleur.

Puceron.

Coccinelle dévorant un puceron.

Grains de pollen.

Les pétales attirent l'insecte.

Syrphe sur une fleur.

INSECTICIDE NATUREL

Les coccinelles aux jolies couleurs servent de pesticide naturel. Elles mangent les petits pucerons verts qui infestent les plantes dans les jardins et les champs.

TISSEURS DE SOIE

Le ver à soie est la chenille du bombyx du mûrier. La soie vient du cocon que la chenille tisse autour de son corps pour se transformer en chrysalide. Le fil de soie donne un beau tissu brillant.

Papillon adulte qui sort du cocon.

Cocon de soie formé autour du corps de la chenille.

Le fil de soie qu'on utilise est généralement déroulé avant l'éclosion du papillon.

Le bombyx du mûrier et son cocon.

C'EST INCROYABLE !

★ Dans certaines tribus africaines, les hommes utilisaient le venin de certaines phyllies pour en enduire la pointe de leurs flèches.

CIRE ET MIEL

Le miel que l'on achète au supermarché provient des ruches d'abeilles. Les abeilles nourrissent leurs larves avec ce miel. Les rayons d'alvéoles nous donnent la cire d'abeille.

On retrouve les alvéoles de la ruche dans certains gâteaux de miel et les bougies.

METS RAFFINÉS

De nombreux insectes sont comestibles et très savoureux, comme certaines grosses chenilles dodues. Les sauterelles grillées constituent un plat très apprécié dans certains pays.

Locustes frites offertes dans un marché Thaïlandais.

POUR EN SAVOIR PLUS
LA VIE VÉGÉTALE : la pollinisation
L'HISTOIRE ANCIENNE : la route de la soie

Les toiles d'araignées

Quatre paires *de pattes.*

Proie piégée *dans la soie.*

Les araignées sont célèbres pour les toiles de soie qu'elles tissent pour piéger les autres insectes. La soie qu'elles produisent sort par des petits tubes, appelés filières, situés à l'extrémité de l'abdomen. Au début, la soie est liquide, mais elle durcit au contact de l'air. Il faut près d'une heure pour que l'araignée tisse sa toile. Ensuite, elle n'a plus qu'à guetter sa proie.

LE TISSAGE DE LA TOILE

Les araignées orbitèles tissent des toiles en forme de roues que l'on voit souvent dans les maisons et les jardins. Elles tissent deux sortes de fils. Le cadre est fait avec un fil résistant, alors que la spirale centrale est constituée d'un fil collant pour retenir la proie.

Les petits poils *sont sensibles aux mouvements.*

Araignée orbitèle et sa proie prisonnière.

Les filières *se trouvent à l'arrière du corps.*

C'EST INCROYABLE !

★ Le fil de toile d'araignées est très fin mais très résistant. Il est trois fois plus solide qu'un fil d'acier de la même épaisseur.

Soie sortant *des filières.*

Filières d'araignées.

Pédipalpes pour signaler sa présence au partenaire.

Crochet pour attraper les proies.

Mandibules d'araignées.

TISSER LA TOILE

1 **L'araignée tisse** un cadre en forme de « Y » entre deux tiges.

2 **Elle ajoute** de nouvelles branches au Y, en partant du centre pour aller aux extrémités afin de solidifier la structure.

3 **L'araignée tisse** tout autour une spirale de soie collante pour retenir la proie.

TOILE EN NAPPE

Les lyniphides tissent des toiles plates, dites en nappe, parmi les feuilles et se cachent en dessous. La toile est maintenue en place par de longs fils. Lorsqu'un insecte touche le fil, il tombe sur la toile et se fait vite dévorer par l'araignée.

Une araignée guette sa proie.

Araignée rétiaire.

UN PIÈGE MORTEL

L'araignée rétiaire tisse une petite toile, très solide. Elle s'accroche à une branche tout en restant reliée par un fil de soie à sa toile, qu'elle tient devant elle, comme un filet. Lorsqu'un insecte s'approche, elle jette ce filet sur sa proie et l'emmène pour la dévorer plus loin.

POUR EN SAVOIR PLUS
LES GRANDES INVENTIONS : le rouet
LES REPTILES ET LES AMPHIBIENS : le crochet, la dent à venin

Les araignées

Toutes les araignées fabriquent de la soie, mais toutes ne tissent pas de toiles. Certaines sont très rapides et chassent directement sur le sol. D'autres construisent des pièges et des tunnels et attaquent leur proie par surprise. De nombreuses araignées venimeuses paralysent leur proie, mais seules quelques unes sont dangereuses pour l'homme.

SE CACHER SOUS UNE TRAPPE

La mygale maçonne fabrique un terrier muni d'une trappe articulée par une charnière. L'araignée attend qu'un insecte passe à proximité. Elle ouvre la porte, sort de son trou et entraîne l'insecte au fond de son terrier pour le dévorer en toute tranquillité.

Charnière de soie.

Le terrier *est tapissé de terre et de soie pour éviter qu'il se bouche.*

Le terrier *peut mesurer 30 cm de profondeur.*

Terrier de la mygale maçonne.

Araignée cracheuse.

Fils de soie collants.

FILET COLLANT

Lorsqu'une araignée cracheuse s'approche de sa victime, elle crache deux fils de soie par la bouche. Elle les projette sur sa proie, et ils forment comme un filet qui cloue l'insecte sur place. L'araignée tue sa victime en la mordant avant de la dévorer.

La trappe est dissimulée
sous une couche de mousse.

**La mygale maçonne
sort de son trou pour
capturer sa proie.**

LE PARALYSEUR D'ARAIGNÉE

Les araignées ont aussi
leurs prédateurs. La
femelle pompile paralyse
l'araignée avec la piqûre
de son dard et l'engrange
dans un trou. Elle y pond
un œuf et referme le
terrier afin que sa larve
ait de quoi se nourrir.

Une femelle pompile et sa proie.

Les poils des pattes
*lui permettent de
sentir la présence
d'un insecte.*

Mouche entraînée
à l'intérieur du terrier.

PIÈGE MORTEL

L'*Arax robustus* fabrique
une toile en forme de tunnel
qui conduit à son terrier.
Il tisse des fils de soie à
travers l'entrée. Si une proie
s'approche, les fils bougent
et l'*Arax* se met aussitôt en
chasse. Son venin peut tuer
un être humain.

CHAMPIONNE DE COURSE

L'araignée-loup ne tisse pas de
toile. Contrairement à la plupart
des araignées, elle a une bonne
vue et chasse à l'affût. Une fois
sa victime repérée, elle la
poursuit et la saisit entre ses
puissantes mandibules.

Araignée-loup d'Australie.

Fils
de soie.

**Arax devant l'entrée
du terrier.**

C'EST INCROYABLE !

★ Les bébés araignées
se suspendent au bout
de longs fils de soie pour
se déplacer dans les airs.

POUR EN SAVOIR PLUS
LES MAMMIFÈRES : les terriers
LA VIE VÉGÉTALE : la mousse

L'art du camouflage

Certaines espèces d'insectes et d'araignées ont une forme ou des couleurs particulières qui les aident à se dissimuler pour échapper à leurs prédateurs. C'est ce qu'on appelle un camouflage. En restant cachés, les insectes peuvent aussi s'attaquer à leur proie par surprise.

De nombreux insectes qui vivent dans les arbres ou les buissons ont une couleur verte ou brune afin de mieux se confondre avec leur habitat. D'autres ressemblent à des feuilles, des fleurs, des épines ou des brindilles. Ils sont ainsi difficiles à voir.

Araignée-crabe camouflée sur une fleur.

ARAIGNÉE CACHÉE
La minuscule araignée-crabe adopte la couleur des fleurs sur lesquelles elle vit. Elle reste immobile, feignant d'être inoffensive. À l'approche d'un insecte, elle bondit sur sa proie. Certaines araignées peuvent même changer de couleur selon la fleur sur laquelle elles se trouvent.

Le phasme *se déplace la nuit et se nourrit de feuilles.*

Longues pattes minces.

Branche.

Des habits verts et un visage peint en vert servent de camouflage sur un fond vert.

INSECTE OU BRINDILLE ?
Avec son long corps mince, ce phasme géant ressemble à la branche sur laquelle il se déplace. Il oscille même dans la brise, pour ressembler à une véritable brindille. Les prédateurs ont donc du mal à le repérer.

Phasme géant sur une branche

50

Phyllie sur une feuille.

INSECTE OU PLANTE ?

Certaines phyllies adoptent la forme d'une feuille pour mieux se dissimuler sur les arbres. Leurs ailes possèdent des nervures, comme celles des feuilles, et semblent rongées aux bords. Les pattes ont aussi la forme de feuilles grignotées.

Véritable épine.

Punaise avec une épine au milieu du dos.

DRÔLES DE BÊTES

Cette punaise au nom scientifique d'*Umbonia crassicornis* a une drôle de forme. Elle ressemble étrangement à la plante sur laquelle elle vit. Elle se nourrit de la sève des arbres.

Corps mince en forme de tige.

Longues antennes.

Punaise camouflée sur une tige épineuse.

Griffes pour s'accrocher aux branches.

POUR EN SAVOIR PLUS
LES MAMMIFÈRES : le camouflage
LES SCIENCES QUI NOUS ENTOURENT : la couleur

Scorpions, tiques et mites

☞ Comme les araignées, les scorpions, les tiques et les mites appartiennent à une classe d'invertébrés appelés arachnides. Ils ont également huit pattes, mais ne possèdent ni ailes ni antennes. Les scorpions sont dotés d'un aiguillon à l'extrémité du corps avec lequel il tue leur proie. Les tiques et certaines mites sont des parasites. Elles vivent sur d'autres animaux et se nourrissent de leur sang ou de leur peau.

C'EST INCROYABLE !

★ L'immense scorpion empereur mesure 18 cm de long, autant qu'une banane !

CHASSEUR NOCTURNE

Dans la journée, le scorpion du désert se cache sous une pierre ou dans un trou. Il sort la nuit pour chasser. Il attrape sa proie (insectes ou araignées) avec ses grosses pinces puis la pique avec son aiguillon pour la tuer.

Un scorpion attaque une sauterelle.

Abdomen composé de plusieurs segments.

Aiguillon venimeux pour tuer les proies et se défendre.

Comme les araignées, les scorpions n'ont pas d'antennes.

Proie.

Quatre paires de pattes.

Pinces pour attraper les proies.

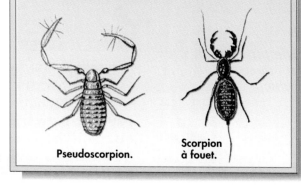

Acarien rouge
velours.

ACARIEN ÉCARLATE

Ce minuscule acarien rouge qu'on croirait recouvert de velours rouge est la larve de certaines espèces de *Trombinium,* ou aoûtat. Les adultes se nourrissent d'œufs d'insectes. Les larves vivent en parasites sur le corps des insectes, des araignées ou des petits mammifères.

Mandibules.

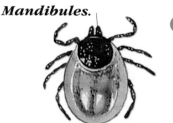

Tique gorgée
de sang.

LES TIQUES

Les tiques sont des parasites. Elles se nourrissent du sang des oiseaux, des reptiles ou des mammifères comme les chevaux ou les vaches : elles enfoncent leurs mandibules dans le corps de leur victime et y restent plantées plusieurs jours.

DANSE NUPTIALE

Avant de s'accoupler, les scorpions exécutent une longue danse nuptiale très lente. Le mâle et la femelle se tiennent par les pinces et avancent et reculent parfois pendant des heures d'affilée.

*Scorpion
mâle.*

*Scorpion
femelle.*

Pinces liées.

Danse nuptiale
des scorpions.

FAUX SCORPIONS

Les pseudoscorpions et les scorpions à fouet ne sont pas de vrais scorpions, même si ce sont de proches cousins. Ils utilisent leurs pinces pour attaquer leur proie mais ne possèdent pas d'aiguillon venimeux.

Pseudoscorpion.

Scorpion
à fouet.

LA FEMELLE ET SES PETITS

La femelle scorpion porte ses petits sur son dos pendant quelques semaines, jusqu'à ce qu'ils soient assez grands pour être indépendants. Ils s'accrochent sur son dos grâce à leurs pinces et leurs pattes.

Femelle scorpion avec ses petits.

POUR EN SAVOIR PLUS
LE CORPS HUMAIN : le sang
LA TERRE : le désert

Insectes ou pas ?

Même si certains des animaux présentés dans ces pages ressemblent à des insectes, ce n'en sont pas. Ils appartiennent à des familles différentes. Mais, comme les insectes et les araignées, ce sont des invertébrés, ils n'ont pas de squelette à l'intérieur du corps.

UNE MAISON MOBILE

Les escargots font partie des mollusques. Ils possèdent un corps mou protégé par une coquille. L'escargot emporte cette maison partout avec lui et s'y cache en cas de danger. Les bigorneaux et les palourdes sont aussi des mollusques.

La coquille protège le corps.

UNE CARAPACE PROTECTRICE

Les crabes sont des crustacés. La plupart vivent dans les océans. Les crevettes, les homards et les langoustines sont également des crustacés. Les crabes sont dotés d'une solide carapace qui protège leur corps mou. Ils se servent de leurs pinces pour attraper la nourriture.

Crabe d'Hawaii.

Une paire de pattes est attachée à chaque segment.

MILLE-PATTES

Les mille-pattes ont un corps composé de quinze segments ou plus. Chaque segment est pourvu d'une paire de pattes. Les mille-pattes poursuivent leurs proies, comme les escargots ou les vers. Ils les tuent avec leur morsure venimeuse.

Mille-pattes.

Le corps est divisé en plusieurs segments.

Escargot sur une feuille.

C'EST INCROYABLE !

★ L'escargot géant d'Afrique est le plus grand de tous les escargots. Il pèse environ 900 grammes et sa coquille peut atteindre 27 cm de long.

Yeux simples
*à l'extrémité
des tentacules.*

Tentacules
*qui permettent
d'analyser
l'environnement.*

Feuille.

L'escargot
*se déplace grâce
à des mouvements
ondulatoires de la
partie inférieure du
corps, appelée pied.*

LE CLOPORTE

Le cloporte est un crustacé
terrestre, proche cousin des
crabes et des crevettes. Il se
cache sous les pierres et sort
la nuit pour se nourrir de
plantes en putréfaction.

Tête.

Thorax composé
de sept segments.

Abdomen composé
de six segments.

**Corps
mou.**

Cloporte.

Petits poils
*pour adhérer
au sol.*

Antennes.

Ver de terre.

JARDINIERS SOUTERRAINS

Avec leur long corps mince, les vers de terre
ont une forme idéale pour creuser la terre.
Ils se nourrissent de terre en creusant, mais
ils mangent également les feuilles qu'ils
collectent et engrangent dans leur terrier.
Leurs tunnels permettent d'aérer les sols
et d'améliorer la qualité de la terre.

Une paire de pattes
sur chaque segment du thorax.

POUR EN SAVOIR PLUS
LES ANIMAUX MARINS : les crabes
LA VIE VÉGÉTALE : le sol

Glossaire des mots-clés

Abdomen : la partie inférieure du corps d'un insecte ou d'un arachnide située derrière la tête et le thorax.

Accoupler : regroupement d'un mâle et d'une femelle afin de se reproduire.

Adapter : au fil du temps, certains animaux se sont transformés pour mieux vivre dans leur environnement. Par exemple, les pattes de certains insectes se sont modifiées pour qu'ils puissent nager.

Alvéole : dans une ruche ou un nid d'abeilles ou de guêpes, compartiment hexagonal utilisé pour abriter les œufs ou stocker la nourriture.

Antennes : paire d'organes sensibles situés sur la tête. Elles aident l'insecte à sentir, toucher et goûter.

Arachnides : nom des araignées et de leurs cousins et cousines.

Bactérie : minuscule organisme vivant.

Camouflage : couleur ou forme qui permet à l'insecte de se confondre avec l'environnement.

Chélicères : crochets des araignées qui leur permettent d'injecter du poison.

Chenille : larve des papillons diurnes ou nocturnes qui sort de l'œuf.

Chrysalide : étape de la vie d'un insecte entre l'état de larve et celui d'adulte. On appelle aussi chrysalide la coque dans laquelle l'insecte s'abrite lorsqu'il se transforme en adulte.

Cocon : enveloppe de soie que certains insectes tissent autour de leur corps pour se transformer en chrysalides.

Colonie : ensemble d'insectes de la même espèce, vivant au même endroit.

Crustacés : animaux dotés d'un corps mou et d'une carapace protectrice dure.

Écailles : petites plaques de cheveux aplatis ou de peau rigide qui se superposent les unes sur les autres sur le corps d'un insecte.

Éclore : sortir de l'œuf.

Essaim : immense groupe d'insectes, comme les criquets ou les abeilles.

Exosquelette : enveloppe rigide située à l'extérieur du corps de l'animal qui le soutient et le protège.

Faux yeux : certains papillons possèdent des marques qui ressemblent à des yeux.

Fossiles : vestiges d'un animal ou d'une plante préservés dans la roche.

Haltères : deux petites tiges sur le dos de la mouche qui l'aident à conserver son équilibre en vol.

Hôte : animal ou plante sur lequel vit un autre animal ou une autre plante.

Invertébrés : animaux dépourvus de squelette interne et de colonne vertébrale.

Iridescent : brillant, dans toutes les couleurs de l'arc-en-ciel.

Larve : stade de la vie d'un insecte entre l'œuf et l'âge adulte. Les larves sont souvent très différentes de l'animal adulte.

Lentille : matière transparente de l'œil qui courbe les rayons de lumière qui la traversent.

Mandibules : pièce buccale de l'insecte capable de mordre, sucer ou mâcher.

Membrane : mince pellicule qui couvre ou relie certaines parties du corps d'un animal.

Métamorphose : différentes étapes de la transformation d'un insecte qui passe du stade de l'œuf à celui de larve puis d'insecte adulte.

Mue : perte de la peau d'un insecte devenue trop petite au cours de la croissance. Cette peau est remplacée par une nouvelle.

Nectar : liquide sucré produit par les fleurs.

Nuisible : se dit d'un animal qui est destructeur pour l'environnement.

Nymphe : petit des libellules ou des sauterelles.

Organe : partie du corps qui répond à une tâche spéciale. L'oreille permet d'entendre, par exemple.

Paralyser : rendre incapable de bouger.

Parasite : animal qui vit et se nourrit sur un autre animal.

Pédipalpes : sortes de membres situés sur la partie antérieure de la bouche d'une araignée. Servent au toucher et à l'accouplement.

Pinces : pattes antérieures utilisées pour attraper les proies.

Pollen : minuscules particules fabriquées par la partie mâle d'une plante afin qu'elle puisse produire des graines.

Prédateur : animal qui chasse les autres animaux pour se nourrir.

Proie : animal chassé par un autre animal.

Punaise : insecte muni d'une longue pièce buccale en forme de tube capable de percer et d'aspirer.

Ruche : niche dans laquelle on élève les abeilles pour récolter leur miel. Dans la nature, les abeilles fabriquent des nids.

Sève : liquide qui coule dans les tiges et les feuilles des plantes.

Soie : matière naturelle fabriquée par les araignées et certains insectes sous forme de fil fin et solide.

Terrier : nid souterrain d'un insecte.

Thorax : partie médiane du corps d'un insecte située entre la tête et l'abdomen. Chez les araignées et autres arachnides, la tête et le thorax sont soudés.

Trompe : long appendice qui sert de bouche à certains insectes.

Yeux composés : yeux qui sont constitués d'une multitude de minuscules lentilles.

Index

Remerciements

AUTEUR
Anita Ganeri

TRADUCTION FRANÇAISE
Évelyne Châtelain

CONSULTANT POUR LES INSECTES ET LES ARAIGNÉES
Le Dr Bryan Turner donne des conférences sur les insectes et
l'écologie au King's College, Université de Londres. Il a entre
autres fait des recherches exhaustives sur le rôle des insectes dans
les sciences judiciaires. Il prend part actuellement à une étude
sur les insectes qui ont colonisé l'île de Krakatau, en Indonésie,
depuis la grande éruption volcanique.

CONSEILLERS ÉDUCATIFS
Lois Eskin, BSc, conseillère en édition, spécialisée
dans l'organisation, la recherche et la programmation
d'ouvrages éducatifs.
Kurt W. Fischer, PhD, professeur à la Harvard Graduate
School of Education.

CONSEILLERS INTERNATIONAUX
Pamela Katherina Decho, BA (Hns), conseillère éditoriale
pour l'Amérique latine.
Zahara Wan, conseiller éditorial pour l'Asie du Sud-Est.
Mighua Zhao, PhD, MSc, MA, BA, conseiller éditorial pour
la Chine et l'Asie de l'Est.

ILLUSTRATEURS
Jim Channell, Joanne Cowne, Sandra Doyle, John Francis,
Tim Hayward, Colin Newman, Bridget James, Richard Orr,
Andrew Robinson, Steve Roberts, Eric Robson.
Mise en couleur Disney : Neil Rigby.
Encrage Disney : Massimiliano Calò.

DIRECTION ARTISTIQUE DISNEY POUR CET OUVRAGE
Fabrizio Petrossi, Claudio Sciarronne
Remerciements particuliers à Michael Horowitz et Carson Van Osten

PHOTOGRAPHIES D'AGENCES
15 J.L. Mason/Ardea London ; 19, 28 & 51 Michael Fogden &
Patricia Fogden, 29 Anthony Bannister/ABPL, 32t Robert Pickett,
35t Anthony Bannister/ABPL, 35b Susan Middleton & David
Liittschwager, 38 George McCarthy, 41b George Lepp,
45 Wolfgang Kaehler, 47 Annie Poole/Papilio et 53 Mary Ann
McDonald sont de Corbis ; 22 L.R. Austing, 22r G.E. Hyde,
31 & 37 B.B. Casals and 36 T. Davidson sont de Frank Lane Picture
Agency ; 25 Peter Parks, 32b Barrie E. Watts, 43 Michael Fogden,
49 Mantis Wildlife Films et 50 Derek Bromhall sont
de Oxford Scientific Films ; 24 Dr Tony Brain/Science
Photo Library ; 41t & 54 ZEFA.

PHOTOGRAPHIES D'ENFANTS
Ray Moller. Models made by Paul Holtzher

DIRECTEUR DE PROJET - DISNEY
Remerciements particuliers à Cally Chambers